Domitille de Pressensé

émilie
n'a pas sommeil

Mise en couleurs : Guimauv'

émilie
n'a pas sommeil.

elle a même
très envie de jouer.

on est bien mieux
à faire des cabrioles
que dans son lit.

émilie, pour la deuxième fois, va te coucher.

mais papa,
je range mes jeux.

peut-être
que papa va m'oublier
et que je n'irai pas
dormir…

émilie,
si je me lève
tu seras punie.

émilie monte
dans sa chambre
sans se presser.

elle ne trouve plus
sa chemise de nuit.

tant mieux,
puisque je n'ai pas
sommeil, dit émilie.

et puis d'abord
j'ai soif.

émilie va boire
dans la salle de bain.

mais… je n'ai pas dit
bonsoir à stéphane.

tiens,
tu es déjà couché !

si on jouait ?

va-t'en !
j'ai envie de dormir !

alors, qu'est-ce que je vais faire ?

mais papa
et maman disent :

nous montons
vous embrasser.

émilie

a très peur.

elle s^aute
tout habillée
dans son lit,

 et fait semblant de dormir.

oh ! grondent
papa et maman,
nous ne disons
pas bonsoir
aux petites filles
qui ne sont pas
déshabillées.

émilie pleure.

elle enfile vite
sa chemise de nuit.

émilie est contente.

elle entend
papa et maman qui
reviennent l'embrasser.

Mise en page : Céline Julien
www.casterman.com
© Casterman 2008

ISBN 978-2-203-01660-6
Achevé d'imprimer en avril 2010, en Italie par Lego.
Dépôt légal : août 2008 ; D. 2008/0053/428
Déposé au ministère de la Justice, Paris (loi n° 49.956 du 16 juillet 1949 sur les publications destinées à la jeunesse).